Le mariage de Brandon

RETROUVEZ

DANS LA BIBLIOTHÈQUE ROSE

SAISON I

1. Les pouvoirs de Bloom	2. Bienvenue à Magix
3. L'université des fées	4. La voix de la nature

5. La Tour Nuage	6. Le Rallye de la Rose

SAISON II

7. Les mini-fées	8. Le mariage de Brandon

© Hachette Livre, 2006, pour la présente édition.
Novélisation : Sophie Marvaud
Conception graphique du roman : François Hacker

Hachette Livre, 43, quai de Grenelle, 75015 Paris.

Le mariage de Brandon

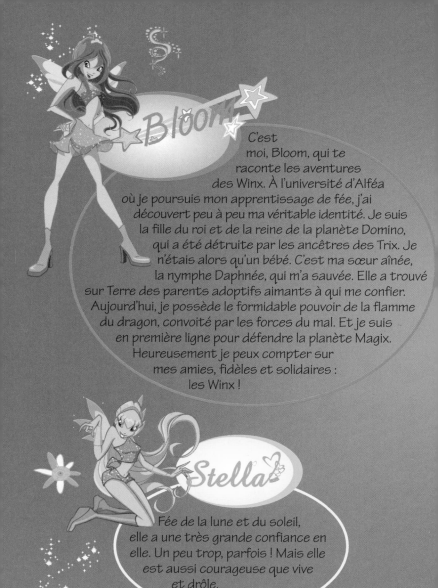

C'est moi, Bloom, qui te raconte les aventures des Winx. À l'université d'Alféa où je poursuis mon apprentissage de fée, j'ai découvert peu à peu ma véritable identité. Je suis la fille du roi et de la reine de la planète Domino, qui a été détruite par les ancêtres des Trix. Je n'étais alors qu'un bébé. C'est ma sœur aînée, la nymphe Daphnée, qui m'a sauvée. Elle a trouvé sur Terre des parents adoptifs aimants à qui me confier. Aujourd'hui, je possède le formidable pouvoir de la flamme du dragon, convoité par les forces du mal. Et je suis en première ligne pour défendre la planète Magix. Heureusement je peux compter sur mes amies, fidèles et solidaires : les Winx !

Fée de la lune et du soleil, elle a une très grande confiance en elle. Un peu trop, parfois ! Mais elle est aussi courageuse que vive et drôle.

fJora

Fée de la nature, douce et généreuse, elle est à l'écoute des plantes et elle sait leur parler. Cela nous sort de nombreux mauvais pas !

Tecna

Sous son apparence directe et un peu punk, elle cache une grande débrouillardise. Normal, elle est la fée des sciences et des inventions !

musa

Fée de la musique, orpheline, elle possède une grande sensibilité. Face au danger, pourtant, elle n'hésite pas à utiliser la musique comme une arme !

Piff

Lokette

Chatta

Les mini-fées sont de minuscules créatures magiques qui ont pour mission d'aider les fées à remplir leurs devoirs. Lorsqu'une fée et une mini-fée deviennent inséparables, on dit qu'elles forment une connexion parfaite. Chaque Winx est impatiente de trouver la mini-fée qui lui correspond !

Tune

Amore

Digit

Les mini-fées sont sous la protection de leur grande amie fée : Layla. Pour échapper à ses ennemis, celle-ci devient une nouvelle élève d'Alféa. Pourra-t-elle s'intégrer au groupe des Winx ?

L'université des fées est dirigée par l'adorable Mme Faragonda. Celle-ci en sait souvent bien plus long qu'elle ne veut nous le dire.

Au royaume de Magix,
un lieu hors du temps et de l'espace,
la magie est quelque chose de
normal. En plus d'Alféa, deux écoles
s'y trouvent : la Fontaine Rouge et
la Tour Nuage. Les Spécialistes
fréquentent l'école de la Fontaine
Rouge. Ah ! les garçons…
Nous craquons pour eux parce qu'ils
sont charmants, généreux,
dynamiques… Mais ils se disputent
tout le temps. Dur pour eux
de former une équipe aussi
solidaire que la nôtre.

Prince Sky, héritier du royaume d'Héraklion, avait échangé son identité avec celle de son plus fidèle ami : Brandon. Ainsi a-t-il pu échapper à ses ennemis. Bon et courageux, il a su toucher mon cœur…

Brandon, celui que l'on prenait auparavant pour Prince Sky, est aussi charmant que dynamique. Pas étonnant que Stella craque pour lui !

Riven n'a vraiment pas un caractère facile ! Mais son côté romantique ne laisse pas indifférent certaines jeunes fées et sorcières…

Timmy, plein d'astuce et d'humour, intéresse fort Tecna. N'aurait-il pas quelques défauts lui aussi ? Est-il vraiment aussi courageux que ses amis ?

Convoité par les forces du mal,
Magix est le lieu d'affrontements
terribles.

Le Phoenix est le plus puissant de
nos ennemis. Squelette dissimulé
dans une armure, ou bien oiseau de
feu, il change d'apparence à volonté.
Mais qui est-il exactement ?
Et que cherche-t-il ?

Sous les ordres du Phoenix,
l'armée des ténèbres est
composée d'un grand nombre
de créatures monstrueuses
et malfaisantes.

Associées au Phoenix, trois sœurs sorcières forment un groupe uni et redoutable : les Trix. Obsédées par leur recherche insatiable de pouvoirs magiques, elles sont prêtes à tout pour anéantir les Winx !

 Icy, qui est à la fois l'aînée des Trix et leur chef, a pour armes préférées les cristaux de glace, le blizzard, les icebergs.

 Stormy sait déclencher tornades et tempêtes.

 Darcy utilise des sortilèges mentaux : elle crée des illusions de toutes sortes qui peuvent rendre fou.

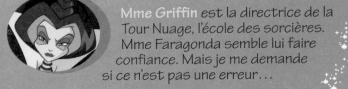 Mme Griffin est la directrice de la Tour Nuage, l'école des sorcières. Mme Faragonda semble lui faire confiance. Mais je me demande si ce n'est pas une erreur…

Résumé des épisodes précédents

Notre nouvelle amie, la fée Layla, s'est réfugiée à Alféa après avoir échappé de peu à l'horrible Phœnix. Mais le maître des ténèbres retient toujours prisonnières les mini-fées. Afin de les secourir, Mme Faragonda décide de nous envoyer en mission, Stella, Brandon, Sky et moi, guidés par Layla.

Dans la forteresse souterraine, lors d'un terrible combat contre les monstres des ténèbres, Brandon tombe au fond d'un abîme ! Et Stella se jette après lui ! Allons-nous les retrouver vivants ?

Chapitre 1

Ce que Bloom ne sait pas

Emportés par un torrent furieux, Stella et Brandon luttent désespérément pour garder la tête hors de l'eau.

— Arg !... Au secours...

Soudain, au milieu des tourbillons, le jeune homme réussit à agripper un morceau de rocher. Il retient Stella que le courant emportait.

Bousculé par la puissance du torrent, écartelé entre le rocher et son amoureuse, Brandon serre les dents.

— Tes fameux pouvoirs magiques, Stella ! Tu peux les utiliser ?

— Pas encore !

Hélas ! La fée de la lune et du soleil est très affaiblie par un séjour trop long, loin de la lumière du jour.

Le garçon a beau y mettre tout son courage, il finit par lâcher prise... Emportés à toute vitesse par

le torrent, Stella et Brandon se heurtent à des rochers qui les assomment.

Évanouis, ils finissent par échouer beaucoup plus loin, sur une petite plage de sable fin. Bien qu'inconscients, ils se tiennent toujours par la main !

C'est là qu'un peu plus tard, deux étranges personnages les découvrent :

— Ils sont jeunes et ils s'aiment ! s'attendrit l'un deux.

Reprenant conscience, Stella réussit à ouvrir les yeux.

— Non !

Elle a poussé un cri d'effroi en voyant, penché au-dessus d'elle, un visage mi-humain, mi-insecte, avec des yeux immenses et un nez minuscule.

— Qui êtes-vous ? demande-t-elle en se redressant péniblement.

Brandon sort à son tour de l'évanouissement.

— Stella !

Les amoureux échangent un long regard. Comme ils sont soulagés d'être vivants tous les deux !

Cependant, avant qu'ils aient retrouvé leurs forces, ils sont ficelés comme des saucissons par les deux nouveaux venus. À la place des mains, ceux-ci sont dotés de sortes de pinces, ce qui ne les empêche pas d'être habiles.

Brandon se retrouve sur le dos de l'un d'entre eux, qui se nomme Sponsus, tandis que Stella est attachée sur une civière qu'il traîne derrière lui. C'est pourtant lui le plus maigre des deux hommes-insectes ! Son acolyte, Abrupto, un paquet de muscles, ne lève pas la pince pour l'aider.

Dans la civière, Stella gémit. Elle semble très mal en point.

— De l'eau, Brandon...

— Tiens bon, Stella, la supplie son amoureux.

Les hommes-insectes quittent les rives du torrent et s'engagent dans des galeries souterraines. Dans la roche, des cristaux de plus en plus nombreux éclairent leur route.

— Nous approchons de Downland, notre ville, fait remarquer Sponsus.

Abrupto grommelle quelque chose, l'air de très mauvaise humeur.

— Il n'est pas tout le temps comme ça, dit son copain. Sa fiancée est beaucoup moins jolie que la mienne, la princesse Amentia...

— Elle n'est pas ta fiancée ! s'énerve Abrupto. Même une grenouille borgne ne voudrait pas de toi comme mari !

Bien que ces histoires n'aient aucune importance pour lui, Brandon ne peut s'empêcher de demander à Sponsus :

— Je ne comprends pas. Tu as une fiancée, oui ou non ?

— Aucune importance ! répond
Sponsus plein d'assurance. De
toute façon, les cristaux disent que
je l'épouserai !

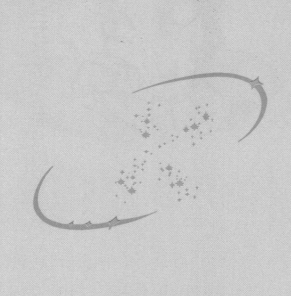

Chapitre 2

Magie évanouie

— Quelle horreur ! Aidez-moi ! hurle Layla.

Notre amie est retenue à la paroi par une monstrueuse toile d'araignée, épaisse et gluante. Mon cher prince Sky se précipite. Les fils résistent de manière incroyable.

— Accroche-toi à moi ! crie Sky.

La toile finit par céder. Layla tombe dans les bras de mon amoureux. Quoi ? Une autre fille dans les bras de Sky ? Je dois avoir l'air furibond, car Layla s'écarte aussitôt.

— Ne t'inquiète pas, Bloom. Je ne vais pas te le prendre, ton Sky !

J'espère bien ! Et puis j'ai confiance en Sky : il ne se laisserait pas faire !

Depuis le promontoire sur lequel nous nous trouvons, nous fixons le gouffre vertigineux au fond duquel nos amis ont disparu.

Nous sommes incapables de

voler. Pendant la bataille que nous venons de livrer contre le Phœnix, celui-ci a capté toute notre énergie magique pour l'utiliser contre nous.

D'après ce que nous a expliqué Mme Faragonda, nos pouvoirs

devraient revenir peu à peu. Nous devons garder confiance !

À l'extrémité de la plate-forme, Layla découvre une machine avec une longue corde et une poulie. Elle se suspend à la corde et, avec beaucoup d'agilité, descend le long des parois.

— Tu fais ça très bien ! admire Sky.

— Le sport est ma première passion, répond Layla.

Nous l'imitons courageusement et atteignons le fond du gouffre.

— Une rivière souterraine !

En effet, un torrent tumultueux jaillit d'une galerie et se précipite en tourbillonnant dans les entrailles de la forteresse.

— C'est la rivière qui m'a ramenée à l'extérieur, lorsque j'ai échappé au Phœnix avant de vous retrouver à Alféa, nous raconte Layla.

— Alors, Brandon et Stella sont sauvés ! dit Sky avec soulagement. Nous les retrouverons dehors, au soleil.

Layla l'approuve.

— Ne perdons pas de temps ! Les mini-fées sont en grand danger.

Quelle décision difficile ! Laisser derrière nous Stella et Brandon me serre le cœur. Dans quel état ont-ils atterri dans la rivière ? Est-ce qu'ils ne risquent pas de faire de mauvaises rencontres, dans cette partie de Magix qui nous est si mal connue ? Mais il est vrai que Mme Faragonda nous a confié une

mission de grande importance :
sauver les mini-fées. Il nous faut la
remplir !

Chapitre 5

Ce que Bloom
ne sait pas

Une fois dans la ville souterraine de Downland, Sponsus conduit ses prisonniers chez lui, dans une maison modeste. Bien qu'il rêve d'épouser la princesse, l'homme-insecte n'a rien d'un grand seigneur !

Il allonge Stella sur son lit. Brandon, que son geôlier libère, se penche sur son amoureuse.

— Oh Stella ! Tu as le visage d'une couleur très curieuse...

Pour une fois, celle-ci ne profite pas de la situation pour blaguer ou pour se mettre en valeur.

— Je n'ai jamais été aussi mal de ma vie, murmure-t-elle faiblement.

La porte s'ouvre. Une très jolie jeune fille apparaît. La princesse ? Non, l'une de ses suivantes.

— La princesse Amentia vous fait l'honneur de sa visite, annonce-t-elle.

Sans attendre une réponse, celle-

ci entre, vêtue d'un large collier égyptien et d'une robe légère. Elle est entourée d'une dizaine de suivantes, toutes absolument identiques à la première !

Brandon aide Stella à se lever, tandis que Sponsus se jette aux genoux d'Amentia. Puis il lui tend un magnifique bouquet de roses qu'il avait préparé à son intention. Voilà pourquoi il a fait prisonnier Brandon et Stella ! Il savait que, poussée par la curiosité, la princesse viendrait lui rendre visite !

Celle-ci contemple Stella avec un intérêt moqueur.

— Quelle horreur ! Comment peut-on s'habiller de cette façon ?

— Dites donc, parlez pour vous ! répond Stella du tac au tac, malgré son épuisement.

Brandon se dépêche de lui mettre la main sur la bouche. Il est sûrement dangereux de critiquer une princesse !

Amentia se tourne vers lui et le fixe, subjuguée.

— Les traits de ce visage sont d'une harmonie surprenante...

— C'est l'attrait de la nouveauté, blague Brandon.

Mais la princesse semble insensible à l'humour. Elle le contemple et soudain, elle annonce à tous :

— C'est lui qui sera mon époux.

Quel coup de théâtre ! Le pauvre Sponsus tombe dans les pommes, tandis que Brandon se fâche.

— Jamais je ne t'épouserai ! Tu n'es qu'un monstre. Tu me fais horreur !

Amentia n'est même pas vexée. Elle fait signe à ses gardes pour qu'ils l'emmènent dans son magnifique palais de cristal.

— Enfin, j'ai trouvé mon Prince !

Un peu plus tard, au palais, Brandon essaie tous les arguments possibles.

— Amentia, je ne suis même pas prince, je suis écuyer.

— À Downland, les princesses épousent l'homme qu'elles aiment, même s'il ne s'agit que d'un écuyer.

— Je ne peux pas t'épouser : je suis un être humain !

— Les désirs d'une princesse sont des ordres.

— Mais je ne t'aime pas ! Je suis amoureux de Stella !

Amentia le regarde chaque fois avec plus d'amour.

— Quelle détermination ! Tu feras un prince superbe.

Pourtant, ce dernier argument fait réfléchir la princesse. Elle appelle ses gardes.

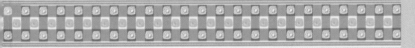

— Veuillez amener cette Stella ! Brandon reprend espoir.

— Ah ! Tu deviens raison-nable...

Entourée par les soldats, Stella apparaît. La couleur grise de son visage s'est accentuée et elle défaille. La princesse lance :

— Gardes ! Empêchez-la de remonter à la surface !

— Tu ne peux pas faire ça ! s'insurge Brandon avec colère.

Il sait que, sous la terre, la princesse de la lune et du soleil ne survivra pas longtemps.

Amentia éclate d'un rire cruel.

— Bien sûr que je peux le faire ! Alors, mon trésor, est-ce que tu acceptes de m'épouser maintenant ?

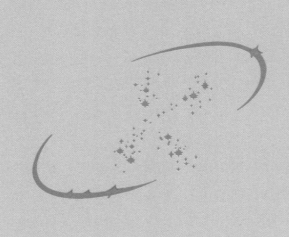

Chapitre 4

Pour les mini-fées

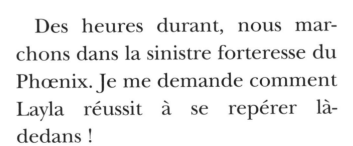

Des heures durant, nous marchons dans la sinistre forteresse du Phœnix. Je me demande comment Layla réussit à se repérer là-dedans !

Soudain, au détour d'une galerie, surgit un monstre ! Énorme,

horrible et effrayant, comme d'ha-
bitude…

— Laissez-le-moi ! crie une voix
familière. Je m'en occupe.

— Stella !

Quel bonheur de retrouver
notre amie ! La fée du soleil et de
la lune semble en pleine forme. En
quelques gestes magiques, elle
réduit le monstre en bouillie !

Nous la pressons de questions :

— Que t'est-il arrivé, Stella ?

— Où est Brandon ?

Elle nous raconte leurs aventures : la chute dans le torrent, leur

évanouissement, les hommes-insectes, et enfin la princesse Amentia qui veut forcer Brandon à l'épouser.

Lorsqu'elle a été relâchée, Stella s'est précipitée à l'air libre afin de retrouver son énergie magique. Regonflée à bloc, elle a réussi à nous rejoindre.

— Maintenant, il faut tirer Brandon des griffes de ce monstre !

— Attends, dit Layla. Nous sommes tout près de la prison où sont retenues les mini-fées. Lorsque nous les aurons délivrées, nous pourrons retourner à Downland.

Malgré ses réticences, Stella finit

par reconnaître que c'est la meilleure solution. Nous nous hâtons de reprendre notre périple.

Enfin, nous arrivons dans une pièce baignée par une étrange lumière verte. Là, dans des tubes d'énergie magique, flottent une dizaine d'adorables créatures : les mini-fées !

Attention ! Le Phœnix est sûrement dans les parages, prêt à réagir... Ou bien l'un de ses monstres les plus malfaisants... Eh bien non ! Ce sont trois jeunes filles qui se dressent devant nous. Je n'en crois pas mes yeux.

— Icy ! Stormy et Darcy !

— Je les croyais enfermées dans le monastère de Rocalus, s'étonne Sky.

— Un monastère d'où il est impossible de s'évader, précise Stella.

Icy ricane, très amusée de notre stupéfaction.

— Nous avons reçu des dons exceptionnels. Pour nous, les Trix, tout est possible !

Je stoppe sa première attaque grâce aux pouvoirs qui me sont enfin revenus :

— Magie des Winx !

Stormy rétorque en lançant sur nous une tornade. Quelle terrible tempête ! On dirait vraiment que les pouvoirs des Trix ont augmenté. Impossible de résister !

Une lumière éblouissante aveugle tous nos assaillants. La tempête est réduite à néant, d'un seul coup ! Furieuses, les Trix préfèrent disparaître.

Celui qui a opéré ce miracle est un chevalier ailé qui nous est inconnu. Ses yeux noirs sont pleins de charme. Je m'avance.

— Au nom de mes amis, monsieur, je vous remercie.

— Quel bel homme ! s'extasie Stella.

— Êtes-vous un moine de Roca-lus ? demande Sky.

L'inconnu secoue la tête.

— Vous saurez bientôt qui je suis.

Et aussitôt, il disparaît ! Quel étrange personnage ! En tout cas, il nous a sauvé la vie...

Layla interrompt le mécanisme magique qui retient les mini-fées dans leur prison de lumière verte. Les petites créatures se précipitent sur leur amie. Elles parlent toutes ensemble et poussent des cris de joie.

Comme j'ai hâte de faire leur connaissance ! Y aurait-il parmi

elles, ma connexion parfaite ?
Nous verrons cela plus tard. Brandon nous attend. Pourvu qu'il n'ait
pas déjà été marié de force !

Chapitre 5

Cachés
à Downland

Guidés par Stella, nous marchons en direction de Downland. Les mini-fées volent à nos côtés. L'une d'elle, une mini-marquise en robe bleue, s'étonne :

— Je ne comprends pas pourquoi Brandon a accepté de se

marier avec cette princesse monstrueuse !

Avec fougue, le prince Sky
défend son meilleur ami :

— C'est sûrement pour sauver
Stella !

Des cristaux fixés dans la roche
nous indiquent que nous arrivons
à Downland. Dissimulés derrière
des rochers, nous découvrons la
ville souterraine. Son architecture
est harmonieuse. Mais aucune
plante ne vient égayer le paysage.
Comme Flora serait malheureuse
ici !

Des gardes passent, très musclés,
avec des visages sombres. Ils me

font penser à des hannetons géants. Nous nous glissons entre deux patrouilles et pénétrons dans la ville.

Mais voilà une autre patrouille ! Sky pousse la porte d'une maison qui n'est pas fermée à clef.

Ses habitantes, deux vieilles femmes, sont assises sur un banc dehors, à bavarder.

Vite, Sky nous entraîne à l'intérieur de la maison ! Les mini-fées ont tellement peur qu'elles se cachent sous des casseroles, des tasses, des bols, une théière et un sucrier, alignés sur une étagère.

Tous, nous attendons en silence, le cœur battant... Les gardes s'éloignent. Ouf ! Layla entrouvre la porte.

— La voie est libre...

À sa suite, nous reprenons notre traversée de la ville. Nous allons d'une cachette à l'autre à la recherche de Brandon.

Les mini-fées préfèrent s'envoler avec la vaisselle qui les dissimule.

Nous entendons les exclamations stupéfaites des gens qui voient passer dans les airs des casseroles, des tasses, une théière et un sucrier !

Mon attention est attirée par une sentinelle qui surveille une fenêtre. J'ai retrouvé juste assez d'énergie pour envoyer un petit sortilège... Et bam ! Le gourdin du garde se dresse tout seul au-dessus de sa tête et lui retombe dessus. Et voilà le travail : il est assommé et je peux m'approcher de la fenêtre.

Je risque un œil. Oui ! c'est Brandon, en grande discussion avec une jeune fille insecte pleine d'assurance et parée de nombreux bijoux. Forcément la princesse Amentia !

Celle-ci fixe l'amoureux de Stella, de très très près.

— Pourquoi attendre que nous soyons mariés ! dit la princesse.

Elle est tellement près de lui qu'il suffirait d'un courant d'air pour qu'elle puisse l'embrasser sur la bouche. Heureusement que ce n'est pas Stella qui assiste à cette scène ! Elle ne pourrait résister à l'envie d'intervenir et ce serait dangereux pour nous.

— Embrasse-moi tout de suite, dit langoureusement Amentia, pour le cas où il n'aurait pas compris.

Pauvre Brandon ! J'ai le temps d'apercevoir son visage paniqué.

— Non ! crie-t-il. Attendons le mariage !

Chapitre 6

Prisonniers !

Une des mini-fées pousse un cri ! Les gardes nous ont repérés. Nous prenons nos jambes à nos cous, Stella, Layla, Sky et moi, suivis par les mini-fées qui volent à tire-d'aile.

Quelle course folle ! Gros et courts sur pattes, les soldats courent moins vite que nous. Mais l'un d'entre eux lance un sortilège. Et devant nous, surgit une limace jaune et verte, grosse comme un autobus ! Elle nous bouche la route.

Deux gros baraqués s'approchent de nous... Et hop ! L'un attrape Stella et moi, l'autre Sky et Layla. Un prisonnier sous chaque bras !

Tandis qu'ils attendent des ordres à notre sujet, je remarque un homme-insecte affalé sur le trottoir. Une fiole à la main, il se lamente et pleure.

L'une des mini-fées, celle qui

porte des fleurs dans les cheveux, s'arrête en voletant devant lui.

— Qui es-tu donc ?

— Le plus malheureux des plus malheureux...

— Pleure, cela te fera du bien. Mais pourquoi es-tu si triste ?

— Je ne comprends pas. Les cristaux disaient qu'on devait se marier. Et pourtant, elle ne m'aime pas.

Il sanglote de plus belle. J'ai une illumination ! Cet homme est Sponsus, celui qui a capturé Brandon et Stella. Il était persuadé que son destin était d'épouser la princesse. Il a un chagrin d'amour.

La mini-fée sort de son ample robe une jolie fiole. Elle arrose d'une goutte mystérieuse une fleur rose qu'elle cueille dans ses cheveux. Puis elle la tend à l'homme-insecte.

— J'ai ce dont tu as besoin. Regarde. Et sens son parfum...

Quel sortilège a donc utilisé la mini-fée ? Une sorte de calmant magique ?

Chapitre 7

Ce que Bloom ne sait pas

Conduit dans le palais royal, Brandon est vêtu de la tenue des princes de ce peuple : un large collier égyptien, une toge et des bijoux.

Le pauvre fiancé n'ose se confier à personne, sauf à un perroquet.

— Je suppose que le roi n'a même pas lu ma lettre d'appel au secours...

— Cent cinquante sept ! répond le perroquet. Cent cinquante sept !

Furieux et bouleversé, Brandon tourne en rond dans la pièce.

— Ce n'est pas juste ! On ne peut tout de même pas m'obliger à l'épouser !

— Cent cinquante sept, répète bêtement le perroquet.

À cet instant, la porte s'ouvre sur un garde royal.

— Monsieur Brandon, j'ai une bonne nouvelle pour vous.

Ah ! pense aussitôt le fiancé. Ma
demande d'appel a été acceptée
par le roi !

— Vous serez conduit à l'autel
par la reine Foeda. Un grand honneur que vous fait son altesse
royale !

Brandon pousse un cri de rage. Mais voilà déjà la reine, une énorme bête avec un maquillage très exagéré. Elle fixe Brandon comme s'il s'agissait d'évaluer les qualités d'un chou à la crème.

— Vous me plaisez. Ma fille a raison. Vous ferez un gendre idéal.

Elle lui tend le bras.

— Venez. Vous allez monter les cent cinquante sept marches qui conduisent à l'autel.

— Cent cinquante sept, approuve le perroquet.

Brandon se laisse entraîner dans l'escalier. Sa future belle-mère lui explique.

— Chacune de ces marches représente l'une des qualités que l'on exige d'un bon époux. Enfin, ne faites pas cette tête, voyons ! Un peu d'enthousiasme !

C'est un véritable cauchemar, pense Brandon. Je vais sûrement me réveiller !

Hélas, en haut de l'escalier, l'attendent bel et bien la princesse Amentia et le roi Enervus. Celui-ci ressemble à sa femme, en moins maquillé.

Mais que font mes amis ! ne cesse de s'interroger Brandon, qui se sent de plus en plus mal. Pourquoi ne sont-ils pas venus à mon secours !

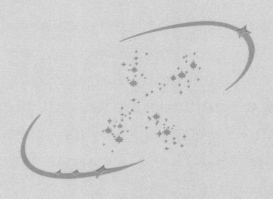

Chapitre 8

La fleur magique

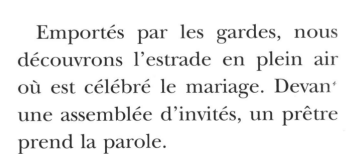

Emportés par les gardes, nous découvrons l'estrade en plein air où est célébré le mariage. Devant une assemblée d'invités, un prêtre prend la parole.

— L'heure est donc venue de bénir cette union...

— Oui ! crie Brandon, qui vient de nous apercevoir sur la passerelle.

Discrètement, le prêtre le sermonne :

— Un peu d'enthousiasme ne fait pas de mal le jour de son mariage, mais n'exagérez pas, tout de même.

D'une voix forte, il ajoute en direction de l'assemblée :

— Le fiancé vient de donner son consentement.

Brandon proteste mais le prêtre ne l'écoute plus. Il s'est tourné vers la princesse.

— Amentia, voulez-vous prendre

pour époux le jeune Brandon ici présent ?

— Oui, je le veux, dit la princesse avec détermination.

— Brandon ! hurle alors Stella depuis la passerelle.

— Stella ! lui répond Brandon avec la même force.

Sky intervient à son tour, de la seule manière possible : en criant.

— Ce mariage ne doit pas avoir lieu !

Un peu contrariée par ces interruptions, la reine lance aux gardes :

— Emmenez ces gens dans une cellule et torturez-les un peu !

Elle semble trouver cette idée très amusante. Brandon qui, jusque-là semblait assommé par la fatalité, reprend ses esprits.

— Non ! Ce sont des parents à moi.

— Dans ce cas, fait négligemment la reine, ils peuvent assister au mariage. Mais on les surveillera. Je n'aime pas trop les belles-familles.

Le prêtre se tourne vers l'un des invités. À ma grande surprise, j'ai reconnu Sponsus !

— Voici les cadeaux sacrés pour la future mariée, dit le prêtre.

Sponsus tend à Amentia un magnifique bouquet de fleurs. Au milieu des roses rouges, se trouve une fleur rose. N'est-ce pas celle que la mini-fée a arrosée d'une goutte mystérieuse ?

Amentia hume à pleins poumons le parfum des fleurs. Soudain, elle se fige, les yeux écarquillés.

— Que se passe-t-il donc ? lui demande le prêtre.

— Une révélation ! répond la princesse.

Tout ceux qui assistent au mariage, le roi, la reine, la foule des invités, les curieux, mais aussi les gardes, Sky, Layla, Stella et moi, comprenons qu'il se passe quelque chose d'imprévu.

— L'amour est enfin entré dans mon cœur... explique Amentia. Immense... Inattendu... Je suis toute bouleversée...

Elle tourne la tête de tous côtés.

— Mais où est mon amoureux ?

— Tu perds la tête ! s'offusque la reine Foeda. Il est à côté de toi !

Elle lui désigne Brandon mais Amentia fronce le nez avec mépris.

— Qui ? Lui ? Comment ai-je pu poser les yeux sur un garçon aussi laid ?

Bien qu'un peu vexé, Brandon est trop heureux de ce retournement de situation !

J'aperçois alors la mini-fée en robe de marquise. Elle encourage Sponsus à monter sur l'estrade.

— Mon amour ! s'écrie aussitôt Amentia.

— Ma princesse ! répond l'heureux jeune homme.

Elle se jette sur lui avec tellement de fougue qu'ils en tombent à la renverse.

— Quel spectacle navrant, se lamente le roi.

La reine minaude :

— Allons, mon cher, ne dites pas que vous n'avez jamais été amoureux.

Passionnés par ces évènements, les gardes nous ont relâchés. Plus personne ne fait attention à nous ni à Brandon.

Celui-ci se précipite vers Stella et la serre fort contre lui. La mini-fée en robe de marquise volette à sa suite en battant des mains.

— Vive l'amour !

Intriguée, je lui demande :

— Mais qui es-tu, exactement, petite fée ?

— Je m'appelle Amore. Je suis la mini-fée de l'amour.

Voilà ! Je comprends tout ! La goutte magique versée par Amore sur la fleur rose était un filtre d'amour. C'est-à-dire un sortilège destiné à provoquer un coup de foudre de la princesse pour Sponsus ! Voilà ce qui a sauvé Brandon !

Table

Si tu as envie d'écrire toi aussi, tu trouveras des conseils et
des jeux d'écriture sur le site de Sophie Marvaud,
qui a adapté le dessin animé *Winx Club*
pour la Bibliothèque Rose.
Voici son adresse sur internet :
http://sophie.marvaud.chez.tiscali.fr

Dans la même collection...

Cinq collégiennes
douées de pouvoirs
surnaturels.

Mini, une petite fille
pleine de vie !

Fantômette,
l'intrépide
justicière.

Totally Spies,
trois super espionnes
sans peur et sans reproche.

Pour Futékati,
résoudre les énigmes
n'est pas un souci.

Claude, ses cousins et
son chien Dago
mènent l'enquête.

Cédric, les aventures
d'un petit garçon bien
sympathique.

Esprit Fantômes, les
enquêtes d'une famille
un peu farfelue.

Imprimé en France par Qualibris (J-L)
dépôt légal n° 81077 - décembre 2006
20.20.1169.03/0 – ISBN 2-01-201169-1
Loi n° 49-956 du 16 juillet 1949
sur les publications liées à la jeunesse